소심한 ISFP 엄마가 대치동에서 세 아이 키우기

서유리

들어가며

자기만의 시간이 필요하고 혼자 사부작거리는 것을 좋아하는 성격입니다.
20대 때 나는 치열하게 토론하고 스터디하며 역사학도를 꿈꾸며 살았습니다. 솔직히 아이들은 별로 좋아하지 않았고 길에서 보는 아이 귀엽다고 생각했던 적도 없습니다. 하지만 한치 사람 앞일은 모르듯이 아이 셋을 키우는 엄마가 되었네요.

연년생도 키우기 힘들고 쌍둥이도 키우기 힘들다는데 둘을 합한 연년생 쌍둥이를 키우다 보니 정말 몸이 남아나지 않더라고요. 아이 아빠는 바쁘고 아이 어렸을 때는 거의 매일 새벽은 한 아이는 바운서에 태우고 발로 밀면서 쌍둥이를 양팔에 안고 우유를 주는 일이 부지기수였습니다.
몸이 힘들었던 그때가 어쩜 육아에 있어 가장 행복했던 시간이 아니었나 싶습니다. 물론 그때는 몰랐지요, 10년이 지난 지금 생각해 보면 몸은 힘들지만 마음은 편했던 그때가 가장 좋았던 시간 같습니다. 아이들이 초등학교 들어가기 전까지 말이지요.

아이 셋이 다 학교에 들어간 지금은 몸은 편하지만 마음은 힘든 그런 시간입니다. 단순히 밥 주고 잠을 재우고 했던, 여기저기 들로 산으로 놀러 다녔던 그때보다 아이를 공부시키고 교육 시켜야 되는 지금이 곱절로 힘이 듭니다. 자녀교육에 있어서 엄마의 역할은 아주 중요하기 때문이죠. 학부모 관계, 반 모임 등 신경 써야 하는 다양한 모임들도 많고요.
소심하고 내성적인 성격이라 더 걱정이 되었습니다. 학부모 모임은 아이의 엄마로서 나가기 때문에 더 걱정이 되기 마련이죠. 또 쌍둥이 이지만 한 명은 사립. 한 명은 공립 각자의 개성에 맞게 교육을 시키고 또 첫째까지 있다 보니 하루가 어떻게 지나가는지도 모른 채 너무나 바쁘게 보냅니다.
어느 날처럼 아침에 아이스 라떼를 마시던 중 이러한 순간들을 글로 기록해두면 어떨까 생각이 들었습니다. 소심한 엄마의 육아가 어쩌면 다른 사람들에게 공감을 줄 수도 있다는 생각도 들었구요, 사람마다 성격이 다르듯이 육아도 각자의 육아 방식이 있기 때문이죠.

일상 속에서 작은 행복들을 여러 번 느끼는 삶을 살고 싶습니다. 어차피 해야 하는 일이 육아라면 이 일도 즐겁게 하고 싶습니다. 나만의 방식으로 살아가듯이 나만의 육아를 한다는 것도 의미 있는 일이지 않을까요?. 이 책은 육아의 시작이자 과정입니다.

목차

PART 1

PART 2

Part 3

왜 대치동에 이사 왔어요?

아이가 어릴수록 엄마들은 열린 마음을 갖게 마련이다. 아이가 아직 유치원에 다니기 전인 4살 때 아이랑 같이 셔틀버스를 기다리는데 같이 셔틀을 태우는 엄마가 나에게 커피 한 잔을 건네주면서 묻는다.
“여기 커피 한잔 드세요! 그런데 왜 대치동에 이사 왔어요?
뜬금없이 아이 친구 엄마가 이렇게 물으니 당황스러웠다.
”아 어쩌다 보니 이렇게 됐네요. 어쩌다 보니.. 학원 보내기도 편할 것 같고요. 이 근처 학교들도 가깝고 보내면 편할 것 같아 이사 왔어요“

그러게 왜일까? 내가 대치동에 이사 온 것은 솔직히 그때는 단순히 이 동네만 살면 아이가 공부를 잘할 것 같다는 이유 에서이다. 물어본 아이 엄마 친구에게 솔직하게 이야기하지는 못했지만 내 아이도 여기서 살면 공부를 잘할 것 같다는 근거 없는 믿음이 그 당시에는 있었다.
사실 이사 오기 전에는 이 동네에 대해서 깊게 생각해 보지 않았다. 아이 아빠 친구네 자녀들이 대치동 대청중과 경기여고를 나와서 명문대에 들어갔다는 아기를 듣고 유아를 둔 아무것도 모르는 아이 엄마였던 나는 이사를 감행했다. 대치동 한복판에 있는 아파트로. 모르니까 더 이사를 감행한 것 같다. 때로는 모르는 게 약일 수도 있다. 동네에 대해 속속들이 알았더라면 아마 안 왔을 텐데 말이다.

이사를 결심한 이후 아이 아빠가 기분이 좋아보이는 날만을 기다렸다. 드디어 아이 아빠가 뭔가 기분이 좋아 보이는 날 저녁에 말을 꺼내기로 결심했다.
"우리 대치동에 이사 가볼까? 오빠 아는 집도 여기 살면서 아이들을 좋은 대학도 잘 보내고 잘 풀렸다며! 우리 이사 가 보자!
이사에 꽂힌 나는 식탁에서 같이 밥을 먹으며 말을 건넸다.
"그래 이사하는 거 괜찮을 거 같아. 알아봐 한 번."

아이 아빠는 양배추를 한입 베어먹으며 이렇게 말을 했다. 자기 아는 형의 자식들이 대학을 잘 갔다고, 또 여기 살면 좋다고 하는 형들의 조언을 듣고 이미 이사에 대해 생각하고 있어서 나의 이사 가자는 제안에 이렇게 순순히 허락한 거지 그런 형들의 조언이 없었다면 나의 이사

가자는 제안에 저렇게 대답을 못 했을 것이다.
아니 제정신이냐고 할 것이다.
이사를 결심한 날부터 인터넷에서 검색했다. 네이버 창에 '대치동 4세 선행'을 쳐봤다. 역시 인터넷에 많은 건 나오지 않는다. 친구에게 물어보았다. 살기 어떤지. 아이들은 어느 정도 공부하는지 말이다.
친구는 여기 아이들은 엄청나게 공부를 잘한다며 4세부터 팀을 짜고 초등 들어가기 전에 초등 수학을 다 뗀다고 넌지시 말해 주었다. 아주 공부를 달리는 아이의 진도가 아니라 평균적인 아이들의 진도라는 것도 덧붙였다.
'우리 집 아이들은 덧셈 뺄셈도 간신히 하는데'. 우리 집 아이들의 수학 진도를 생각하니 한숨이 나왔다. 하지만 나는 7살도 안 된 이제 4살 된 꼬맹이들을 데리고 선행할 생각이 없었다. 나중에 다 따라잡을 수 있다는 생각에 다시 한번 이사에 대한 마음을 굳혔다.
친구는 '문예원'은 대기를 걸었냐고 물었다. 어린이집도 태어나자마자 대기라는데 학원도 대기를 걸어야 한다니. 진짜 할 게 많구나. 이렇게 다들 열심히 하구나. 우리 집 아이들도 이사하면 이렇게 열심히 할 거라는 생각이 들어 기분이 좋아졌다.

이렇게 인터넷으로 검색하고 친구에게 몇 가지 조언을 듣고 부동산에 연락해서 적당한 집을 알아보고 순식간에 이사 날짜도 잡았다. 역시 인생은 타이밍이다. 마음먹은 순간 마음에 드는 집을 만났으며 타이밍도 좋아 쉽게 이사했다. 이사하면서 생기는 소소한 문제들도 전혀 없었다.
이사한 날 식탁에서 중국집에서 자장면과 탕수육을 먹으며 이야기를 나눴다.
"우리 진짜 이사 잘한 거 같다. 좋은 느낌이 마구 든다. 완전히 잘했어,"
"좋은 가격에 집도 구하고 여러 가지 타이밍이 잘 맞은 거 같아.
우리 둘은 이사를 기념하며 중국요리와 함께 시원한 맥주를 마시며 서로가 서로를 축하했다.
이렇게 대치동으로 이사는 생각지도 못한 채 빨리 진행되었다.

7세 영어 입시에 대한 고찰

아이들이 7살이 되자 여기저기 영어학원 테스트들을 봐야 한다고 다들 준비에 들어갔다.
다들 정말 학원 입시에 사활을 걸었다. 유치원 친구 A네는 프렙 학원에 다니기 시작했고 B네는 전문 과외를 붙였다고 한다니 나도 준비를 해야한다는 생각에 머릿속이 복잡해져왔다.
하지만 나는 다둥이 맘이고 교육비에 돈을 충분히 쓸 만큼 생활비도 넉넉하지 않다. 아이 셋 영어유치원 원비만 해도 내 기준에는 너무 부담스러웠다.

그래도 전화나 한번 해보자는 생각에 전문 과외 선생님께 전화를 해봤다. 들리는 소문으로는 빅3 영어학원의 입학테스트를 아주 우수한 성적으로 붙게 만들어 준다 한다. (빅3는 대치동 유명한 영어학원 3개를 말하는 것인데 어떤 사람은 ILE,알파, 렉스김이라 하기도 하고 그 3개는 그때그때 입시 결과에 따라 달라진다. PEAI는 2학년/대부터 다닐 수 있어 제외했다.)
선생님은 바쁜지 전화를 받지 않았다. 조심스레 카톡을 남겼다.

'안녕하세요, 선생님! 00엄마의 소개로 연락드립니다. 입테 준비 과외 문의드리는데 시간과 과외비 문의 드려도 괜찮을까요?'
한참을 기다려도 답이 없다. 다음날 저녁이 되자 답이 왔다.
죄송하지만 자리가 없습니다. 과외비는 말씀 드릴 수 없습니다. 양해 부탁드려요."
역시나 자리가 없다. 내가 시켜보기로 결심하고 이것저것 책들을 준비했지만 독하지 못하고 계획성이 없는 나는 준비부터 쉽지 않았다. '엄마표 영어'는 쉽지 않은 일이다. 책도 사보고 검색도 수없이 해봤지만 실력도 실력이지만 웬만큼 부지러나지 않으면 못하는 게 '엄마표 영어'라는 생각이 들었다.

그러다고 테스트를 안 볼 수도 없는 법. 어떤 학원은 인터넷으로 신청을 받고 어떤학원은 전화로 받았다. 심지어 어떤 학원은 엄마들을 줄 서서 기다리게 해기도 했다. 테스트 신청하라 해서 잊어먹을까 봐 알람 맞춰놓고 30분 전부터 대기 타서 접수했지만 한 명은 접수가 되고 한 명은 광탈. 역시 같이 테스트 보기조차 힘들다. 지금 유치원도 서로 다른데 보내는데 학원까지 다른데 보낼 생각하니 아찔해졌다. 전화로 신청을 받는다는 학원은 농담 안 하고 500번은 해도 신청조차 안되었고 줄 서서 기다려야 한다는 학원은 아예 신청조차 못했다. 우리 애들보다 터울진 아이를 키우는 친구는 부질없다 했지만 머릿속으로는 수긍이 돼도 마음속으로는 조바심이 나고 꼭 시험을 보고 싶다는 생각이 가득했다.

우여곡절 끝에 어떤 영어학원에 합격해서 다니게 되었다.
역시 합격은 기분좋은 단어이다, 이게 별 게 아닌 것이라는 걸 알면서도 너무 기분좋았다.하지만 쌍둥이 중 한명은 붙고 한명울 불합격이다. 영어유치원도 둘이 다녔는데 학원도 다르게 보내게 되다니..
그렇다고 조금 더 쉬운학원에 둘이같이 보낼 수도 없고 결국 영어 학원도 다르게 보내게 되었다. 아이들의 취향과 성격,성적 까지 맞춰서 쌍둥이를 키우다니..친구들은 귀찮지도 않냐고 얼른 한학원으로 둘이 같이 보내라고 성화였다.
그래서 어떻게 했을까? 친구들의 의견을 따를까 했지만 결국 각각의 성적에 맞는 학원으로 다르게 보내고 있다. 나는 고생을 사서 하는 스타일일까?

대치동에서 사립 보내기

쌍둥이를 다른 학교 보낸다고 하면 사람들은 놀라곤 한다. "어머 진짜요? 너무 힘들겠다." 많이 듣는 이야기다.
내가 쌍둥이를 다른 학교에 보내는 이유는 거창한 이유가 있어서가 아니라 한 아이가 버스를 타기 싫다 해서 어쩌다 보니 그렇게 되었다. 처음부터 따로 보내려는 것은 아니었다. 인생이란 뜻하지 않은 일이 자주 일어난다.
다행히 아이들은 서로 다른 학교에 가는 것을 담담히 받아들이고 문제도 생기지 않았다. 유치원도 서로 다른 데를 보냈기 때문일까? (이 이야기도 조만간 다룰 것이다) 첫째 둥이는 대형 영유, 둘째 둥이는 소규모 영유를 나왔다.
결론부터 이야기 하자면 강북 사립과 대치동 공립은 각자 장단점이 있다.

첫째. 사립에서 내가 제일 마음에 들었던 것은 바로 글씨 잡아주기이다. 경필 대회도 있어 아이들의 동기를 부여해주며 바른 글씨 쓰기를 지향한다. 영어유치원만 다니고 따로 논술 같은 데도 안다녀 한글 수업을 안 받았음에도 불구하고 글씨체를 비교적 예쁘게 잡아준다.

둘째. 학교에서 다양한 학업 활동을 한다. 코딩, 컴퓨터, 연극 등 다양한 학교 활동이 있어 아이들이 심심해하지 않는다. 이러한 아이들의 다양한 활동을 통해 아이의 소질도 알 수 있을 것이다.
셋째.학교에서 저학년임에도 불구하고 시험도 보고(국어는 읽기 듣기 등 모든분야를 다 본다) 학습의 기본 습관을 잡아주는 것 같아 마음에 든다.

하지만 단점도 있으니 바로 학원 보내기가 힘들다는 것이다. 집에 오면 2시 반, 3시 반이다. 이 시간에 학원 가기는 힘들다. 왜냐하면 저학년 학원시간은 보통 2시에 많이 시작되기 때문이다.
학교에서 바로 픽업해서 가지 않는 이상 학원에 제시간에 가기는 힘들다. 또 버스를 타고 다니니 체력적으로 힘들다는 점도 있다.

그렇다면 대치동 공립의 장점은 무엇일까? 대치동 공립은 아이들이 무척 열심히 공부한다. 초등학교 2학년 아이도 수학학원에서 6시간씩 공부하는 경우도 있다. 적어도 왜 나만 공부하냐는 얘기는 하지 않는다. 하교 후 집에 오면 12시

반 정도. 잠깐 쉬다가 학원에 가기 좋다. 학교서 딱히 특별한 것은 해주지는 않지만 기본적인 것은 잘 배워 온다.
사실 사립은 돈을 한 달에 평균 100 이상씩 들기 때문에 다양한 활동을 하는 게 어쩌면 당연한 것일지도 모른다. 그렇다고 사교육을 안 하지는 않는다. 처음에는 사교육보다 학교 안에서 모든 교육을 해결하고 하교 후에는 독서만 하자라는 생각으로 입학했는데 예전의 결심은 어디 가고 지금은 시간 쪼개서 학원들을 보내고 있다.
아무리 학교 내에서 영어랑 악기를 한다 하지만 막상 우리 집 아이와 친구들을 보면 많이들 사교육을 한다. 또 교복 교체, 악기 교체 여름캠프,소풍,교재비 등등 사사로운 돈들이 나간다.
물론 안 하는 사람도 있겠지만 학교 내에 다양한 대회에 참여하려면 어느 정도 사교육은 많이들 하고 있다. 가성비를 생각한다면 생각해볼 만한 문제이다. 학비와 사교육비를 더하면 꽤 큰돈이 나가기 때문이다.

신기한 게 사립 다니는 둘째 둥이도 공립 다니는 첫째 둥이도 각각 자기 학교를 제일 좋다고 한다, 언제까지 이렇게 다르게 학교를 보낼지는 모르겠지만 일단 한번 해보려고 한다, 공립이든 사립이든 사교육 금액에 있어서 기준을 잡고 내가 어떤 교육을 시키고 싶은지 생각해봐야겠다.

라이드 인생

난 차를 좋아하는 편이 아니다. 운전하는 것도 싫어한다. 운전을 하면 생기게 되는 돌발상황들(갑자기 밧데리가 방전된다든지. 엔진오일이 떨어지는)을 두려워 하고 옆 차에 끼워들기 등등도 잘못하는 편이다. 또 차를 운전 하다보면 필수적으로 해야하는 세차 주유등도 귀찮아한다. 그럼에도 불구하고 피할 수 없는 것이 있으니 바로 '라이드'이다.
물론 아이와 함께 버스를 타고 갈 수도 있으나 버스안에는 너무나 많은 학생들이 있어 작은 아이들은 숨쉬기도 힘들다. 그래서 하는 수 없이 아이를 차로 데려다 준다. 매일 하지는 않지만 일주일에 4번은 보통 늘 하곤 한다. 특히 금요일이 바쁘다.

금요일
3시: 아이가 학원에 갈 시간이다. 빨리 옷을 입으라고 소리지른 후 태워 학원앞에 데려다준다.
4시 전 이라 다행히 안 막힌다.
3시반: 쌍둥이 2호가 학교에서 왔다. 간단히 빵과 우유를 먹인 후 차에 태운다. 아이는 차에서 영어단어를 외운다. 학원서 시험 못보면 재시험 본다고 하니 차에서 단어를 외운다.

5시: 나머지 한 명을 수학학원에 데려다 준다, 쿠팡에서 차 안에서 먹으면 좋은 식판도 주문해서차 차에서 종종 아이에게 저녁 식사를 먹인다.
6시: 3시에 학원 갔던 아이를 데리고 온다. 6시경은 차가 무척 막혀서 버스타고 오거나 걸어온다. 너무 막히는 도로는 차라리 걷는 것이 낫다.
7시: 쌍둥이 2호를 데려온다. 스케줄이 꼬여서 바로 수학학원에 가야 하는 날이라 간단한 도시락을 준비해간다.
9시; 수학 학원에 갔던 아이를 데리고 온다 10시 전이라 차로갈만하다.

이렇게 서너번 하다보면 어떨 때는 입에서 단내가 날 만큼 지친다. 아이가 순순히 가는 날도 있지만 안 간다는 날은 달래기도 하고 화를 내기도 하다가 나가서 2배는 힘들다.

대치동에서 운전을 하다보면 신기한 점들이 많은데 젤 신기했던 것은 인도위에 차가 다닌다는 것이다. 물론 빨리 다니는 것은 아니지만 차가 인도 위를 다니는 일이 종종 있다.
다음은 차선을 막고 차가 꼼짝하지 않고 있다는 점이다. 차가 3차선을 막고 자녀들을 기다리는데 아무리 빵빵데도 절대 비키지 않는다. 어떤 날은

2차선도 막고서있어서 차가 멈쳐있는걸 모르고 계속 기다리다가 겨우 옆차선에 빠져나와 간적도 자주있는 일이다.
마지막으로는 운전예절을 안지키는 차들이 많다. 깜박이도 안키고 끼워 들고 파란불일 때도 지나가는 차도 많이본다.

이렇게 하다보니 운전 실력이 는거같다는 좋은 점도 있다.

“오늘 차가 너무 막혀 지치더라... 내가 자식을 위해 이렇게 라이드도 하고 애쓰는거 애가 고마워 할까?”
라이드를 하고 친구랑 통화하면서 친구에게 물었다.
“절대 모르지. 아마 앞으로도 모를 줄 몰라 자기 자식을 키워봐야 알수도?”
자식키운다는 거는 보람있지만 힘든일이다.

소심한 ISFP 엄마의 학부모 관계란?

내 mbti는 isfp 이다. 그렇지만 사회화가 잘된 i 라고 해야 할까? 성향이 완전히 내향적이거나 사람들을 피하고 그런거는 별로 없는 편이다. 사람들하고 이야기 하는것도 좋아하고 친한 사람들 하고는 매일 통화도 한다.또 다른 사람 에게 피해 주는 것도 싫어하고 내가 피해를 받는 것도 싫어한다. 이런 나에게 제일 어려운 인간관계가 무엇이냐고 나에게 물으면 나는 주저없이 '학부모 관계''라고 말할 것이다.

초등학교 1학년 학부모 모임의 시작은 총회 후 반모임 이다. 초등학교 1학년 때 친한 엄마들을 만들고 반드시 그룹에 들어가란 이야기를 누누이 들었기 때문에 총회와 반모임에 반다시 참석하리라는 다짐을 했다. 총회 당일 무슨옷을 입을까 고민하다가 최대한 묻히는 옷을 입기로 결정하고 검정색 바바리.그리고 내가 갖고 있는것중에 가장 깔끔한 가방을 들었다. 끝나자 마자 반모임이 있었기 때문에 단정 하게 보이는 옷을 입고자 얼마나 고민했는지 모른다. "안녕하세요 ** 엄마입니다."로 돌아가며 자기소개하는 시간. 친구는 나이와 출신 대학도 밝히는 경우도 있다는데 다행히? 그런일은 생기지 않았다. 이 날을 기점으로 수많은 번개와 모임들이 생겼는데 한

두 번은 나갔지만 계속 나가는 것은 아이가 많은 나로서는 쉽지 않은 일이다.

엄마들의 모임은 보통 10시부터 시작해서 길게는2시까지 모임을 하는데 그 안에서 수많은 이야기들이 오고간다. "00이는 어느학원을 다녀요?? "네, **에 다녀요. 00 이는 어느학원에 다녀요??
모든 질문에 대답을 애기할 수 없어서 다른 화제로 전환을 시키는 경우도 있고 "날씨가 참좋네요"등과 같은 겉도는 대화로 보내는 경우도 있다.
끝나고 돌아오면 카톡들이 울린다. 우리반 어머니들은 참 좋으세요 우리반 아이들은 참 착해요 등등 톡들을 보며 나는 뭐라고 이야기를 해야하나 고민이 되기도 했다.

사실 나도 친한 엄마들을 만들고 싶었다. 아이 친구 엄마지만 내 친구가 되는 그런 사이말이다. 편하게 이야기 하고 어떤 애기도 '이 애기를 해도 되나'고민 없이 말 할 수 있는 그런 사이 말이다. 하지만 이를 위해서는 돈과 시간을 투자하며 자주 만나고 이야기하며 친분을 밀페이유 마냥 한겹한겹 쌓아가며 만들어야 한다. 하지만 나는 연년생 쌍둥이를 둔 엄마이고 사교적인 성향도 아니었고 그러기에는 시간도 부족했다.

또 그나마 아이가 어렸을 때는 열린 마음으로 엄마들을 대하지만 아이를 초등학교에 보낼정도 나이의 엄마들은 열린마음을 갖기보다는 살짝 배타적인 경우도 많았다.

이렇게 하다가 엄마들 사이에 이런저런 일이 생기면서 흐지부지되었고 코로나가 있어서 어영부영 시간이 지나버려 어느새 초등학교 고학년이 되었다. 친한엄마는 없지만 만나면 반갑게 인사하는 엄마들은 있다. 이렇게 되면 학교 돌아가는 사정이나 학원에서의 팀수업에 못끼는 경우들이 생긴다.하지만 실력이 없어서 못들어가지 학원을 몰라서 못들어가는 경우는 보통 없다. 왜냐하면 웬만한 정보들은 다 인터넷에 있고 같은 학년 엄마들에게 나만 아는 중요한 학원 정보를 가르쳐주는 경우는 별로 없기 때문이다.

친한 엄마 하나 없이 초등 기간을 보낸 지금은 어떨까? 크게 아쉽지도 크게 좋지도 않다.물론 아는 엄마들을 많이 만들면 좋았겠지만 내 성격상 엄마들 모임을 자주 참석하기는 힘들었을 것이다. 나는 엄마들을 만나고 오면 내가 무슨 실수한 것이 없나 계속 되돌아보는 성격이고 다른 사람들 관계를 많이 신경 쓰기 때문이다. 아이가 학교를 다니는 거니 친한 친구들도 자기가 다 만들고 엄마들 친분으로 친구관계가 형성 되는건 초등학교 저학년 이후로는 많지 않다.

소심하고 내향적인 성격의 나는 다둥이를 키우면서 사실 학부모 관계가 쉽지는 않았다. 아무리 내가 엄마들을 안 만난다해도 아이가 많으면 엄마들을 대할 일이 종종 있고 못나간다고 거절하는 것도 한두번이지 미안하고 신경이 많이 쓰였다.총회,모임, 반체육등이 제일 활발한 시기인 1학년 때 코로나였다. 만약 코로나가 없었다면 나의 학부모 관계도 달라졌을까?

황소의 난

대치동에서는 11월이 되면 떠들석하다. 바로 '
황소 고시'가 있기 때문이다.'황소 고시'란 '생각
하는 황소'라는 수학학원에서 일 년에 두 번 11
월 2월에 보는 입학 테스트를 뜻한다. 대치본점
에서만도 1000명 정도 되는 아이들이 응시하기
때문에 언젠가부터 '황소 고시'라는 말로 불리게
되었다.
2006년에 대치동에서 개원한 '생각하는 황소는
2017년 12월부터 서울. 인천. 부산. 대구 등 전
국적으로 지점을 늘린 심화 수학을 하는 수학을
하는 학원이다. 코로나 전에는 답지도 안 주고
미션을 수행하기 전까지 집을 보내지 않아 어마
무시했다면 지금은 답지도 주고 온라인으로 수
업을 하는 경우가 많아 전보다는 수월해졌다.

내 아이가 잘하는 것은 아니지만 남들 하는 것
은 다해보고 싶은 게 부모 마음일까? 사실 아이
가 잘하는 것은 아니지만 남들 다한다는 황소
고시에 나도 동참해보기로 했다.
테스트를 원한다는 전화를 걸어 노니 11월 중순
문자가 왔다. 언제 시험을 보겠냐며 시간을 묻는
문자가 왔다. 어느 시간에 시험을 볼지 고민하다
가 아침시간으로 결정했다."그래 한번 해보자"

시험 보는 아침에 엄마인 내가 이게 모라고 왜 이리 떨리던지.. 시험이 끝난 후아이는 초콜릿을 받았다며 해맑은 표정으로 나왔다. 드디어 결과를 문자로 받는 날이 되니 너무 결과가 궁금하고 가슴이 뛰었다.
나는 누워서 결과를 보기로 했다. 혹시라도 놀래서 핸드폰을 떨어뜨릴까봐 옆으로 누워서 보면 떨어뚜리지 않겠지 라는 생각에서 말이다. 5시 되기만을 기다렸다. 4시 59분 58초 59초 드디어 5시. 두근두근 거리는 마음을 누르고 핸드폰 문자 메세지를 봤다. 결과를 보자마자 '헉'이라는 소리가 나왔다. 32점이네.'이게 50점 만점 이던가! 아니 100점 만점인데'.
아이는 수학학원을 안 다닌 아이가 아니었다. 수학만 해도 '사고력 수학학원', '연산 수학학원', '1031 초급'진도 나가는 학원 이렇게 3개나 다녔는데 이 점수 라니 할 말이 없어졌다.남들은 학원 하나도 안 다니고 집에 있다가 그냥 시험 봐도 턱턱 붙는다는데 우리 애는 수학학원을 세개나 다녀도 안되는구나라는 생각에 괴로웠다.
물론 황소 수학학원이 전부가 아니라는 것도 잘 알고 있고 여기 다닌다고 다 잘하는 것도 아니라는 건 알고 있다. 하지만 이 게 뭐라고 하루 종일 기분이 좋지 않았다.

황소 블로그에 보니 저렇게 절대 실망할 필요가 없다지만 실망스러운 것은 사실이다. 아이가 이 학원에 다니고 싶다는 것도 아니고 내가 학원에 다닐 것도 아닌데 이렇게 신경 써야 하나 생각도 든다.우리 아이에게 맞는 학원을 찾아주는 것도 엄마의 일일까?

첫시험을 이러게 떨어진 후 우여곡절 끝에 아이는 3월 시험에 붙었다.역시 합격은 언제나 기분좋은말이다. 이 학원이 붙는거 보다 다니기가 힘들다는 사실은 다니고 나서 알게되었다.

쌍둥이를 다른 학교에 보낸 지 어언 4년째

남들이 고생을 사서 한다 했지만 어떻게 자식들의 개성과 취향을 존중(하.. 내가 왜 그랬을까)하다 보니 이렇게 시간이 지나갔네. 그동안은 코로나가 있어서 온라인 수업을 하다 보니 그나마 수월하게 지나갔지만 코로나도 끝나고 각자의 학교생활이 본격적으로 시작하다 보니 너무 바빠져서 전학을 고민하게 된다.

그렇다면 왜 나는 전학을 고민하는가?
먼저, 학교 갈 일이 너무(사람에 따라 적다고 할 수도 있겠지만 내 기준으로 말한다) 많다. 누가 워킹맘이나 바쁜 엄마들에게 사립이 좋다 하는가.. 공개수업이나 총회 같은 경우 공립은 안 온 사람들도 있고 안 온다 해도 묻히는 경향이 있는데 사립 같은 경우는 거의 백 퍼센트 온다. 이것뿐인가? 운동회, 발표회, 예술제, 동아리 공개수업까지 있다. 그리고 5-6월엔 바자회, 또 수학여행을 가면 새벽에 데려다줘야 하는 일도 생기고 여행 다녀와서도 셔틀이 이 날은 없기 때문에 직접 데리러 가야 한다. 예술제에 아주 급한 일이 있어 못 데리러 갔는데 엄마만 안 왔다는 말을 듣고 어찌나 미안하던지,, 그리고 셔틀이 사고가 났을 때도 데리러 가야 해서 바쁜 엄마들은 긴장을 늦출 수가 없다.
둘째, 학교에 대회 및 챙길 일 등이 많다. 물론 안 참여해도 되는 대회도 있지만 그 많은 대회 중에서 상을 못 받게 되면 왜 이런 것도 엄마가 돼서 못 챙겨줬을까라는 미안한 마음이 들기도 한다. '말하기 대회', '영어 말하기 대회', '과학 잔치대회'.'경필대회',‘한자대회’,‘그림잔치’‘수학 경시대회’ 등등 수많은 대회가 있다. 준비 안 해도 상을 타는 똑똑한 친구들도 있지만 우리 집 아이는 그런 아이는 아니기 때문에 준비를 해야 상을 타고 준비를 못하면 역시 상을 받지 못한다. 일 년에 몇 번씩 영어 분반시험도 보는데 이 점수로 분반을 하기 때문에 많아들 준비한다.

물론 좋은 점도 많다. 학교에서 이것저것 다양한 활동을 해 아이가 다양한 경험을 할 수 있다. 물론 전문적으로 깊게 배우는 것은 아니지만 이것 저것 배우다 보니 여기서 몰랐던 아이의 소질을 찾을 수도 있고 학교라는 공교육 속에서 배운다는 게 믿음을 준다. 시험을 보고 학교에서 선생님과 오답노트를 하는 것도 나 같은 엄마에게는 매력적인 요소이다.

내가 이렇게 챙기지도 못하는데 전학시킬까라는 마음과 이왕 여기까지 다녔으니 그냥 졸업시키자라는 마음이 왔다갔다 한다.지금 이렇게 고민해도 연말이 되면 또 생각이 바뀔 수 있으니 일단은 그냥 고민을 접기로 했다.어떤 결정을 할지 나도 궁금하네.

탈 대치를 꿈꾸다

영어 유치원에서부터 미국 로스쿨,sat 입시까지 모든 종류의 사교육을 제공하는 전세계 어디서도 찾을 수 없는 시스템을 제공하는 대치동은 많은 장점이 있는 곳이다.
일단 학원들이 무척 다양하게 있다.공부를 잘하는 애들을 위한 학원뿐 아니라 중간 정도 하는 아이들을 위한 학원도 있고 심지어 못하는 아이들을 위한 학원도 있다.또 학원을 들어가기 위한 준비학원들도 있다.준비학원이란 무엇일까? 들어가기가 어렵다고 소문난 A수학학원에 다니고 싶다면 A학원의 입학테스트를 준비해주는 학원들을 말한다. 이런 준비학원조차 여러개여서 자신의 니즈에 맞게 골라 다닐 수 있다. 한티역 뒷골목이나 대치역 근처 상가에도 수많은 학원들이 존재하고 있다. 한마디로 어떤 아이들도 그 아이에게 맞는 다닐 수 있고 엄마가 골라서 보낼 수 있다. 백화점에서 물건을 고르듯이 대치동의 엄마들은 학원을 쇼핑한다.

또 대치가 본점인 학원들이 많다 보니 학원들이 선생님 관리며 원생들을 좀 더 신경쓰는 느낌이다. 그리고 무엇보다 중요하다 생각하는 건 공부하는 분위기가 형성되어 있다는점이다.아이들이 어렸을 때부터 공부를 열심히 해서 친구들을 보고 나도 공부해야 한다는 생각이 들게 하는 마법과 같은 곳이 대치동이다. 동네에 유해환경이 거의 없다는 것도 아이들의 동기부여에 큰 한몫을 한다.

이 외에도 여러 가지 좋은 점들이 있지만 내가 느끼는 대치의 좋은 점은 바로 '남들에게 무관심'하고 '남들에게 보이는 것'에 그다지 신경을 안 쓴다는 점이다. 물론 당연히 예외적인 경우도 있겠지만 생각보다 남들에게 관심이 없다. 다른 집 아이들이 다니는 수학진도나 학원들이 궁금할 수 있어도 그 집의 숟가락 개수 까지 궁금해하며 그 집을 속속들이 알고 호구조사를 하는 분위기는 아니다. 또 엄마들을 만날 때나 동네 다닐때도 좋은 브랜드 가방을 들어야 하다든지 화려한 액세서리를 착용해야 한다던지 그런 분위기도 아니다. 비교적 다들 수수하고 검소한 편이다. 자식 교육비에는 돈을 안 아끼지만 본인을 화려하게 꾸미거나 공부외에 다른것에 돈을 쓰는 엄마들이 비교적 적다. 당연히 이곳에도 아이들 교육에도 신경 많이 써주고 본인도 예쁘게 꾸미시는 분들도 있다. 하지만 비교적 남들 눈을 신경 안 쓰는 엄마들이 많아서 엄마들은 부담없이 자식의 교육에만 열중할 수 있다.

하지만 앞으로 바뀔 입시제도에서 여기에 사는 게 득이 될지는 고민해볼 필요가 있다. 여기 아이들은 정말 열심히 공부하는데 우리 아이들은 한다고 하지만 그 정도로 열심히 공부를 하지 않는다. 치열한 내신 경쟁 속에서 승산이 있을까? 물론 다른 지역도 굉장히 열심히 하는 아이들도 있겠지만 여기에 이제 오래 살기도 했고 분위기를 한번 바꿔보고 싶다.특히 코로나 이후 인강이 잘 발달 되어 전국 어디에서도 고품질의 교육을 받을 수 있어서 다른 지역에서도 의지만 있으면 충분히 양질의 교육을 받을 수 있다.

대치동에 이사 올 때처럼 인터넷도 검색해보고 친구들, 주변 사람들의 이야기에 귀기울린다. 이러다가 어느 순간에 바로 이사 갈 수도 있다는 생각이 든다. 어쩌다가 생각지도 못하게 여기에 이사온 것 처럼 말이다. 가까운 거리에 학원들이 많아서 편하게 학원도 보냈고 시장, 마트, 서점 등이 다 가까이 있어 살기도 편했기에 여기에 이사 온 것을 후회하지는 않는다.

이사가 쉽지 않은 일이지만 내가 선택의 기로에서 어떤 선택을 하든 뒤돌아보지 않으며 나의 선택을 응원해 주고 싶다.

엄마는 왜 항상 화가 나있어?

"엄마는 왜 항상 화가 나있어?". 어느 날 막내가 나에게 묻는다. 그 말을 듣는 순간 깜짝 놀라서 거울을 봤다. 미간 사이에 선명하게 새겨진 주름. 곰곰이 생각해 보니 요새 나는 늘 화를 내어 왔던 것 같다.

코로나 시국에 아이 셋 모두 학교를 안 가거나 온라인 수업을 하니 모든 식사를 챙겨야 했고 나가지도 못하고 단절된 생활을 하니 어느새 난 늘 화를 내는 사람이 되었다.아이들이 모두 집에 있으니 정말 할 일이 많았던 게 큰 이유이다.
예전의 나는 방긋 방긋 웃고 화 한 번 내지 않았는데 어느새 이렇게 화만 내는 사람이 되었을까?

가장 큰 원인은 혼자 있는 시간의 부족이다.
나라는 인간은 사람들을 만나면서 기운을 얻는 게 아니라 혼자 책도 읽고 커피도 마시고 하면서 기운을 얻는데 일 년이 넘게 항상 아이들과 같이 하니 재충전의 시간이 부족했던 것 같다.

두 번째 원인은 할 일이 너무 많다는 것이다.

세 명의 아이들의 학교도 다르고 학원도 다르니 봐주는 공부의 양이 꽤 큰데 다 아이들의 밥을 매끼 차리고 집안 정리, 청소를 하다 보니 쉴 시간이 없다. 게다가 아이들을 데리고 자니 잠을 깊이 잘 수 없다.

몸은 하나인데 할 일이 몰아치니 많은 스트레스를 받아 왔던 것 같다. 이런 상황에서 몸이 힘드니 마음의 여유가 없어지고 짜증이 늘고 화가 계속 났다. 그래서 미간에 이러한 주름이 자리 잡았구나.

아이의 말을 계기로 계속 이렇게 살면 안 된다는 생각이 들었다. 나의 마음에 여유가 생기도록 노력을 하기로 마음먹었다.

아이들의 숙제와 공부 봐주는 것은 완벽하게 하지 않아도, 적당히 하여도 괜찮다고 생각하는 '내려놓기'를 실행할 것이다. 못하는 것은 못하는데로 두자. 다음은 무슨 일이 있더라도 일주일에 두 번은 운동을 할 것이다. 또 집안일도 일주일에 한 번이라도 외주를 줘서 가사도우미 도움을 받아야지. 마지막으로 코로나 때문에 걱정되기는 하지만 일주일에 한 번 한 시간 정도는 밖에 나가서 혼자만의 시간을 가질 것이다. 내가 좋아하는 일들을 조금씩 해봐야지!

지금부터 조금씩 노력해서 화를 줄여나가야겠다. 내가 마음이 편하고 몸이 건강해야 아이들도 잘 키우고 가정이 평화로울 수 있으니 말이다. 나의 행복에 대해서 생각해 본 지 너무 오래된 것이 서글프지만 이제라도 행복을 찾기 위해 노력해야겠다.

대치동에 살면 아이가 스스로 공부를 열심히 한다

이럴 줄 알고 여기로 이사를 왔지만 안타깝게도 아니다.
내가 이 동네에 어떤 로망이 있었을지 모른다. 아이가 스스로 숙제를 열심히 하고, 시키지도 않아도 책을 읽으며 글씨도 또박또박 잘 쓰고 좋은 친구들과 하루하루 열심히 공부하는 그런 바램 말이다.
그런 생각으로 이사 왔지만 대치동에서 산다고 아이가 스스로 공부하는 거는 일반적인 일이 아니다. 내가 살면서 느낀 것은 모두 아이 나름이라는 거다.
아무리 친구들이 공부 열심히 해도 안 하는 애는 안 한다. 그 안 하는 아이가 우리 아이가 될 수 있는 것이다. 우리 애는 다를 거라는 생각으로 이사를 왔지만 그 안 하는 애가 우리 애가 될 줄은 생각도 못 했다.내가 나의 즐거움을 포기하고 친구들도 잘 못 만나고 가정과 육아에 집중하면서 키웠는데 이리 않다니 화가 스멀스멀 올라온다.내 욕심이었던 것일까?

아이 아빠는 '아이에게 숙제하라고 말하고 여기

서부터 여기까지 해 ' 이렇게 말하고 나오라고 한다. 아이를 자율적으로 키워야 한다고 큰 소리로 주장하면서 말이다. 나는 고민에 빠진다' 문 닫고 나오면 정말 할까? ' 그렇게 한 번 해보기로 했다. 이렇게 해서 열심히 하면 매우 좋겠다는 생각이 들어 신이 났다.
"여기서부터 여기까지 해! 하고 나서 놀아!"
아이에게 단호한 목소리로 말했다. 문을 닫고 아이를 안 보니 걱정이 되긴 했지만, 걱정은 잠시이고 너무 좋았다. 그리고 40분이나 지났을까? 들어가 보니 아이가 숙제를 다 한 거다. 완전 기쁜 마음에 나가 놀라고 말하고 채점해보니 '맙소사' 한숨이 나왔다.
다 찍어놓은 거다. 처음에 몇 문제 풀고서.

아이는 엄마가 옆에 없으니 얼마나 신났을까? 내가 옆에 있으면 딴짓 못 하게 물어가며 비교적 꼼꼼히 숙제시키는데 내가 없으니 그냥 막 찍어놓고 딴짓한 모양새다. 아마 내 생각이지만 10분 만에 다 풀고 30분은 핸드폰을 봤을 수도 있다 물론 주변 환경이 중요하지만 아이 스스로 공부하는 것은 쉽지 않은 일이다. 물론 주변에 공부 잘하는 아이들에게 둘레에 쌓이면 '아 공부를 열심히 해야겠구나!' 본인이 결심한 후 그 담부터는 스스로 알아서 공부 열심히 하는 아이들도 분명히 있을 것이다. 어쩌면 우리 아이들도 언젠가는 이렇게 공부 할 수 있다.

이런 것을 알면서도 안 하는 애들을 보고 조금은 속상하다. 아직 어리니 어렸을 때는 마껏 놀아야한다고 말할 수도 있다.하지만 여기서 계속 공부하며 살려면 지금 공부를 열심히 하지 않으면 나중에는 따라가기 힘들다. 공부를 하는 사람은 아이들인데 왜 엄마인 내가 아이들이 공부를 않으면 불안한 것일까 라는 의문이 든다. 아무튼 대치동에 산다고 공부를 스스로 하는 것은 아니다. 이런걸 보면 환경도 중요하지만, 제일 중요한 것은 아이들이 스스로 공부하게끔 하는 '동기부여'가 아닐까?

글씨와의 전쟁을 선포한다

2028년 바뀐 입시에서 서술형 평가를 강화한다고 연신 기사에 나오고 있다. 서술형 평가와 빼놓을 수 없는 건 바로 '글씨'이다. 우리 집에는 글씨를 못 쓰는 애가 대다수 지만 사실 막내는 글씨 걱정은 안 했다. 왜냐하면 학교에서 1학년 때부터 2학년 때까지 경필 교육을 했으며 받아쓰기 시험도 매주보고 글씨를 꽉 잡아줬다고 생각했기 때문이다. 하지만 이게 웬일인가. 고학년이 될수록 갈겨쓰는 아이의 글씨를 자주 발견한다. 크고 갈겨쓴 글씨는 나부터가 글씨를 알아볼 수 없다. 아이는 알아보냐고? 그럴 리가. 아이도 자기가 쓴 글씨를 못 알아봐서 시험에 틀리곤 한다.

첫째도 마찬가지이다. 어느 날 학원 선생님께 온 카톡을 보니 아이의 글씨를 하나도 못 알아보겠다고 다시 해오라는 내용의 문자가 남겨져 있었다. 최대한 '추리'해서 답을 맞게 해주고 있었지만, 땡땡이의 글씨는 도저히 알아볼 수가 없다고…. 이제 글씨인가…? 앞으로 서술형 평가를 강화하고 논술시험도 잘 보려면 글씨를 잡아야 한다는 마음이 솟구쳤다.

나는 아이들에게 말했다. "오늘부로 글씨와의 전쟁을 선포한다"라고.
못 쓰는 아이는 가만두지 않겠다는 말을 덧붙치면서 말이다. 먼저 인터넷을 검색해서 글씨 잡아주는 학원을 알아보고 숨고에도 검색해서 글씨를 잡아주는 선생님을 알아보았다. 눈을 딱 감고 결제하려 했으나 1명도 아니고 3명의 글씨학원까지 보낸다는 건 금액이 부담스러웠다.
그래서 한 명씩 옆에서 붙잡고 글씨를 못 쓰면 지우고 다시 쓰라고 말하면서 글씨를 고치기 시작했다. 아이의 문제점은 자기가 글씨를 잘 쓴다고 생각한다는 데 있다. 이렇게 한명한명씩 하면서 조금은 고쳐졌다.

글씨와의 전쟁을 선포했다. 이 전쟁에서 누가 이길 줄은 모르겠다. 아이들도 제발 글씨의 심각성을 깨닫고 고칠 의지가 생겼으면 좋겠다. 엄마는 도와주는 것뿐이니 말이다. 우리 최선을 다해서 꼭 이기자!

아이가 아프면 화나는 나, 이상한 건가요?

"엄마 목이 아파.."
첫째가 말한다. 분명 한 달 전에 독감에 걸려서 타미플루도 먹었지만 또 목이 아프다니 단전에서 화가 스멀스멀 올라온다.
"뭐?? 그러니까 내가 옷을 따뜻하게 입으라 했지! 했어 안 했어? 또 아프다 하면 어떡해! 말 좀 들어!" 또 목이 아프다니.. 화부터 난다. 사실 아프고 싶어서 아픈 게 아닐 텐데 아이들은 아프면서 크는 거라는 거 잘 알면서도 화가 나는 건 어쩔 수 없다. 그렇게 옷을 따뜻하게 입으라고 했건만 아이는 내 말을 절대 안 듣는다.

내가 이렇게 아이가 아프다고 하면 화가 나는 데에는 여러 이유가 있는데 일단 소아과 진료받기가 힘들어서이다. 요새 소아과 대란이라는 기사도 많이 나지만 병원에서 진료를 받으려면 기본이 50분을 기다려야 한다. 심지어 어떤 병원은 7시부터 번호표를 뽑기도 한다고 한다. 하다하다 병원 오픈런도 해야 하는가.. 똑딱이라는 앱도 있지만 금방 마감되고 일찍부터 가서 줄 서야 하는 일들이 비일비재하다. 그뿐인가 하루 종일 간호해야 한다. 누워서 이것저것 시키는 모양을 보고 있자니 화가 치민다.
사흘동안 꼬박 제1간병인이 돼서 간호를 한다. 그 와중에 학원선생님들 학교에 전화를 드리고 보강날짜를 잡는다. 애가 아프면 이런 보강을 잡는 일들이 큰 스트레스이다. 이제 좀 나아지려 하고 좀 살꺼같았는데 이게 끝이 아니다. 다시 시작된다.

"엄마 나 목이 아파"
둘째에게 어김없이 병이 옮는다. 목이 아프다고 하고 침대에 누워있는다. 내가 아이가 아프면 화가 나는 두 번째 이유이다. 한 아이가 아프면 어김없이 다른 아이에게 옮는다. 다른 방을 쓰고 안 부딪히게 한다고 하지만 며칠 지나면 다른 아이가 병에 걸려있다.

애 셋을 키우다 보면 항상 누군가는 아파 있고 누군가는 숙제를 안 해 선생님들에게 혼나는 연락을 받고 누군가는 친구땜 속상하다고 울고 있다. 이렇게 셋을 키우다 보면 일이 끊이지 않는다. 둘째 아픈 지 10일째, 이번엔 남편이 말한다."나 아무래도 애한테 옮은 거 같아.." 응?? 아니 옮아도 내가 옮아야지 애랑 밥을 같이 먹지도 않고 한방에서 같이 자지도 않는 사람이 왜 애한테 감기가 옮았다고 하는 건지..

하.. 나도 아프고 싶다.
아이가 아프면 화부터 나는 나.. 이상 한 걸까?
오늘밤엔 잠 좀 잤으면 좋겠다.

아침에 달걀 세 알

아침마다 제일 먼저 하는 일은 냉장고에서 계란을 세 알 꺼내는 일이다. 이 계란을 찬물에 삶아서 꺼내서 껍질을 잘 까서 아이 아빠 식탁에 놓는다. 어릴 때 부엌에서 엄마가 하는 소리를 들었을 때는 맘이 편안해지고 안도감이 느껴져 다시 아침잠에 빠져들곤 했다. 이제 이 일을 내가 하게 된 거다.

아침에 부엌 창문을 열고 따사로운 햇살과 상쾌한 공기를 마시는 여유는 없다. 지금 시간이 6시이니 빨리 30분 내로 달걀 3알을 삶고 적양배추를 채를 치고 사과를 깎아 썰어내고 견과류를 준비하느라 마음이 바쁠 뿐이다. 남편에게 건의를 해봤다. 감동란을 사서 먹는데 어떠냐고 남편 말은 첨가물이 많이 들어 몸에 안 좋다고 한다. 그러면 하루 전날 미리 삶아 놓는데 어떠냐고 재차 말했다. 미리 삶아 놓으면 시간도 절약되고 직접 삶는 계란이 맞으니 효과적으로 시간을 보낼 수가 있다는 이유를 대면서 말이다. 돌아오는 남편 말은 아침에 집에서 직접 삶은 계란을 먹고 싶다였다.

그래서 시작된 삶은계란의 아침식사는 어느덧 삼 년을 향해 달려간다. 계란을 삼 년 넘게 삶아서 껍질을 까다 보니 몹시 더울 때 계란껍질과 추울 때 달걀 껍데기 두께의 차이를 알 수 있게 되었고 계란의 종류마다 맛이 다르다는 것도 알게 되었다. 또 계란껍질을 쉽게 까려면 얼음이 가득 담긴 찬물에 그대로 퐁당 넣었다 까면 된다는 거다.

처음엔 솔직히 귀찮았지만 지금 생각해보면 건강식으로 나도 같이 먹게 되어 긍정적인 효과가 있는것같아. 아침에 계란 세 알로 시작된 아친식사는 이제 하나의 루틴이 되었다. 150세 까지 살고 싶다는 아이 아빠의 꿈이 실천되길 바란다.

나의 육아 목표는

아이를 대학에 입학시켜서 공교육의 12년을 끝내면 '육아'도 끝이라고 생각하고 그 날만을 기다려왔다. 그런데 들리는 이야기론 그 게 끝아 아니라고 한다. 아이 pt, 필라테스,등 외모도 신경써줘야 하고 자식의 학점 관리. 때론 아이가 과외를 하러 갈 때 데려다줘야 한다는 이야기를 들었다.
'하.. 이런것까지 신경써야 하나. 아이 라이드를 대학교 때까지 해야한다고?'
만약 대학원에 갈 경우 학비도 대줘야 하고 학점관리등 여러 가지도 신경 써줘야 한다고 하는 이야기도 들려왔다. 만약 자식이 결혼해서 아이를 낳을 경우 그 손주도 키워줘야 한다는데 정말 사양하고 싶다.
나의 육아 목표는 '독립'이다. 부모에게 기대지 않게 19살이후 성인이 되면 자신이 직접 돈을 벌고 자립적으로 생활하는 걸 원한다. 물론 쉽지 않은 일이라는 건 잘 안다. 하지만 자립을 목표로 아이를 양육 하고 싶다.
얼마전에 신의진 교수의 '현명한 부모는 아이를 느리게 키운다'를 읽고 너무 공감되는 게 많았다. 요새 아이들은 너무 편안하게 부족한게 없이 큰다는 거다. 저자는 후배 돌잔치에 가서 아이의 두유에 맞는 '두유 컵'을 보고 깜짝 놀랐다고 한다.만약 이런 컴이 없었더라면 아이는 흘리면서도 어떻게 하면 엄마에게 혼안나고 안흘릴까를 연구해서 먹는데 아이의 이런 행동에 기회를 안주는 딱맞는 '두유컵'까지 나왔다고 놀라워했다.
이렇게 아이가 편한생활을 영위하고 엄마가 하나하나 다해주면 이렇게 편리한 생활에 젖어 커서도 도전하거니 자립하려는 생각없이 부모의 품 안에만 있으려 하지 않을 까 걱정이 됐다.
아이를 사랑으로 키우는 건 좋지만 다 해주지는 말로 도전할 기회도 주고 때로는 불편한 상황도 겪게 해 보는 하리라고 결심했다.

하지만 엄마가 보기에 아닌 길을 가도 그냥 두어야할지 걱정이 되기도 하다. 내가 미리 막아서 아닌 길로는 안가게 하는 게 날지,자기가 겪어보고 아닌 길인걸 느끼게 하는게 날지 어느게 바른 방법일까? 시행착오를 조금이라도 줄이게 하고싶은게 부모의 마음이니 말이다.자식이 독립해서 자신의 삶을 개척하며 사는 생각을 하니 생각만 해도 기쁘다. 답답하고 기다리기 힘들 때도 있겠지만 차분히 기다려줄 수 있는 엄마가 되고 싶다.

요새 자식 키우기란

사실 아이를 낳기 전에는 아이 낳고 키우는 게 이렇게 힘든 일인 줄 몰랐다. 인생에서 가장 예측할 수 없는 일을 저지르는 느낌이랄까? 나는 아이를 키우는 일이 이렇게 힘들고 돈이 많이 드는 일인 줄 모르니까 낳지. 만약 알았으면 안 낳았을 것 같다.

일단 아이를 낳으면 여자는 몸이 예전과 같지 않다. 온몸의 기름이 쪽 빠진 푸석푸석 한 모습.
얼굴이 아무리 비싼 로션을 발라도 푸석푸석하다, 이 푸석푸석함은 몸과 더불어 머릿결에도 영향을 준다. 매주 클리닉을 받거나 홈케어를 하면 달라지겠지만 돈도 돈이지만 시간이 없다.
다음은 아이를 키우는 일이 부모의 노력이 엄청 많이 들어간다는 거다. 특히 엄마의 경우엔 자신을 갈아넣어야 한다. 물론 이렇게 하지 않아도 잘 풀리고 잘 큰아이들도 있지만 흔치 않은 일이다.
뒷바라지를 하는건 힘든일이다. 자식을 자사고 보내기 엄마들의 노력,예원이나 선화같은 예체능 전공을 시키기위해 퍼붓는 엄마들의 돈과,시간.
꼭 이런 학교를 보내지 않아도 요새 자식을 키우려면 부모의 노력이 절대적으로 필요하다. 요새는 또 삼종세트라고 '교정'.'드림렌즈','성장주사'를 하는데 드림렌즈는 120정도 하고 성장주사는 화이자로 할 경우 아이의 몸무게에 따라 다르지만 달에 120까지 달한다.
마지막으로 자식을 향한 엄마의 걱정은 말 그대로 죽어야 끝난다. 아이를 대학에 보내면 끝이아니라 ,취업,결혼,손주 양육등 올케어로 신경써주는 경우가 많다. 관 뚜껑을 닫기 전까지 끊임 없이 자식을 신경써야 한다.
이렇게 공들여 키우면 자식이 나에게 효도를 할까? 아니다. 효도는 바래서도 안되는일이다. 우리 아이들이 결혼할 때 쯤이면 부모 공양 같은 것은 사라질 수도 있다.

물론 자식을 키우며 느끼는 여러 가지 감정들은 자식을 키우지 않았더라면 절대 몰랐을 감정들일 것이다. 효도는 3세이전에 한다는 말대로 아이가 유아였을때는 눈에 너어도 안아플정도로 귀엽고 사랑스러울 수 있다.그리고 잘 키워놓으면 보기만 해도 뿌듯해지리라. 내가 이렇게 한 인간을 한 인격체로 잘키웠구나 라는 생각은 엄마에게 보람을 줄 것 이다.하지만 사춘기에 접어들고 커갈수록 자식은 부모품을 떠나게 되고 엄마들은 예전의 추억으로 감정을 되살린다.

자식을 낳아야 진정한 어른이 된다고들 한다. 아직 아이를 다 키운건 아니지만 이 말이 무슨말인지 어렴풋이 알 듯한다. 애를 낳고 키우는거는 인생의 행복이 아니다. 아이가 크면서 느껴보지 못한 감정들은 분명히 있지만 나를 포기해야 할 게 너무 많기 때문에 다시 태어난다면 양육은 그만하고 싶다.

언제까지 배울 것인가?

나는 배우는 것을 좋아해서 이제껏 다양한 많은 것을 배워 왔다. 일본어 중국어등 외국어 에서부터 운동, 설탕공예, 그림등 다양하게 시도해왔다. 물론 끝까지 배워서 '달인'이 된 것은 아니지만 배움의 과정에 의미를 두고 해마다 배워온 것이다.

배운 것들 중 특별히 기억나는게 몇 개있는데 그 중에 하나가 와인이다.wset이라는 와인아카데미에서 배웠는데 지금으로부터 거의 15년전이다. 그때 당시 신의 물방울이라는 만화로 와인붐이 막 일어나던때라 굉장히 흥미롭게 수업을 들었던 기억이난다. 수업을 많이 들으면서 시음도 진짜 많이 했는데 한 모금씩 마실때마다 어떤 맛일지 기대되었다. 하지만 신의 물방울 만화의 내용처럼 샤르도네 한모금을 마시자마자 들판이 펼쳐진다던지 피노누아를 마시면 그 향기 덕분에 뒤에 꽃이 피어난다던지 그런 일은 일어나지 않았다. 그리고 와인을 글로 배우고 많이는 안마셔 실제로는 와인에 대해 잘 알지는 못했다. 그래도 배우는 것은 열심히 배우고 자격증도 따서 간간히 강의도 해서 지금 생각해봐도 좋은 추억이다.

골프와 테니스등 운동도 배워봤다. 골프가 너무 재밌다고 해서 배웠지만 안타깝게도 전혀 재미를 못느꼈다. 테니스도 마찬가지이다. 테니스가 너무 재밌다고 주3회이상 친다는 이야기를 듣고 배웠디만 역시 별로였다. 레슨 시간은 보통 20분인데 레슨은 그런대로 괜찮지만 동 치우는게 귀찮다. 밖에 나가서 친다면 재밌을지도 모르지만 그때는 같이 칠 사람을 구해야 한다. 그게 영 귀찮은 일이 아니다.
제일 흥미를 못느낀건 설탕공예였다. 내가 손재주가 없음을 여실히 느끼게 된 게기가 되었는데 만들면 만들수록 요상하게 되었다. 대충하는 성격의 나는 공예하고는 정말 안맞았다. 나에게는 '정교함'이 없었다.

내가 제일 흥미를 느낀 것은 '댄스'이다.잘하지는 못했지만 삼각지 댄스 스튜디오에 가서 배울만큼 열정이 넘쳤다. 음악에 맞춰서 춤을 출 때 너무 신나고 스트레스가 플렸다. 역시 사람은 몸을 움직여야 한다는 걸 느끼게 해준 취미이다.

내가 배운것들이 정말 잘한다고 말할수 있거나 어쩌면 취미라고 말할수 없는것도 있을지도 모른다.하지만 다양한 경험을 통해 내가 무엇을 좋아하는지를 알게 되었고 배움 그자체로 행복했기 때문에 즐거운 추억이다. 올한해도 나의 삶을 풍족하게 해줄 많은것들을 경험하고 싶다.
언제까지 배울까? 살아있는한 계속 배우고 싶다.

미루지 말자. 나의 행복을

나는 나의 행복을 항상 미뤄왔었다. 매번 나중에 놀꺼라고, 나중에 갈꺼라고, 사고싶은게 있어도 나중에 살꺼라고 말이다.매번 나중에, 나중에가 일상이었다. 지금 바쁘고 시간이 없으니 나중에 할거라며 지금 나의 행복을 누리는 것을 주저하곤 했다.
아이들 어렸을 때는 아이들 키우느라 정신없이 바쁘고 힘들었다,아이가 통잠만 자도 좋겠다고 '백일의 기적'을 기다리고 했는데 이게 웬걸..아이가 크니 더 힘들다.

살다 보니 산 넘어 산이고 해야할 일이 폭포처럼 쏟아진다. 한고비를 넘으면 생각도 못한 다른 고비가 있다. 아이 어렸을 때 몸이 힘들었다면 이제 육체적+정신적으로 힘들다고 해야할까? 마음 고생도 허다하며 부모님 노환, 나의 노후 걱정등 할 일이 너무 많고 마음이 무겁다.삶의 무게가 너무 버겁기만 하다. 아무것도 모르고 공부만 하면 됬던 어린 시절이 자꾸 떠오르는 걸 보니 많이 힘든 모양이다. 더하여 죽을 때까지 자식 걱정까지 해야 하니 관뚜껑 닫을 때까지 해야 하는 자식 걱정이 부담스럽기만 하다. 인생은 고통스럽고 수행의 길이니 자식걱정은 내려놓고 묵묵히 내삶을 살아야겠다.걱정해서 바뀔꺼는 없으니말이다.

어느 날 문득 봄 햇살이 따사로이 내리쬐는 길을 건너는데 나도 모르게 아 좋다'라는 소리가 나왔다. 기분이 좋아지면서 행복하다는 느낌이 들었다. 이런 소소한 행복을 자주 느끼고 싶다.
행복을 먼 미래로 미루지만 말고 아이스 라떼를 마실 때, 맛있는 쿠키를 먹을 때등 이런 소소한 행복을 자주 느끼고 싶다. 행복은 꼭 거창하거나 큰 게 아니기 때문이다.
책도 읽고 넷플릭스 드라마도 보고 위안도 받고 혜안도 얻으며 내 삶을 살아야겠다. 순간순간 행복을 느끼면서 말이다. 오늘의 나를 위해 살자.

취미가 뭐예요?

취미가 뭐냐는 질문은 어렸을 때부터 많이 받았던 질문이다. 그때마다 나는 당황스러웠다. 왜냐하면 나는 이럴타한 특별한 취미가 없었기 때문이다. '골프','그림 감상','서핑'등 사람들의 취미는 다양했다. 이 외에도 '자전거를 타기','등산' 등 사람마다 멋진 취미들이 있다. 취미가 무엇일까 한참을 고민하다가 내가 적은 단어는 '책사기'' 맛있는 커피와 빵집 찾기' 등을 볼펜에 힘주지 않고 적곤 했다.

나는 책 사기를 좋아한다. 물론 도서관에서 아주 가끔은 빌리기도 하지만 거의 모든 책을 직접 구매한다. 책을 구매해서 읽고 가끔은 책 내용을 정리하는데 '책 사기'가 취미라고 해도 될까? 수필, 고전, 자기 계발 등 다양한 책들을 보는데 요새는 학창 시절 공부했던 역사와 고전에 빠져 읽고 있다. 역시 수많은 시간 동안 살아남은 책들은 다르다. 어렸을 땐 왜 고전을 안 읽었는지 모르겠다. 늘 지금은 아는 것을 그때는 모르기 마련이다.
이렇게 사들인 책을 읽으며 커피를 마시면 행복한 기분에 들기도 한다.책을 읽는 시간이 축적되면서 간접적으로 경험이 많아진다. 또 필사도 하고 조금씩 글도 써보고 있는게 소소한 낙이라고 해야 할까?

맛있는 빵과 커피 찾아 다니는 것도 취미이다. 커피가 맛있는 집을 찾으면 그 어느 때보다 기분이 좋다. 진하고 고소하고 산미 없는 맛이 내 취향이다.
최근에 찾은 커피 맛집은 오리지널 팬케이크 하우스이다. 여기는 팬케이크 전문점인데 놀랍게도 커피가 아주 맛있다. 이전에는 범표커피와 미니말레의 커피를 좋아했었다. 그렇다면 빵집은 어떨까? 빵집은 매번 바뀌고 하는데 요새는 휘낭시에와 샌드위치에 고쳤다. 피낭시에는 최근에 부산에서 먹은 과자점 휘낭시에와 홍대 근처의 라바즈에서 먹은 휘낭시에이다. 라바즈의 휘낭시에는 버터가 듬뿍 들어간 밀도 높은 휘낭시에인데 디저트로 그야말로 최고다. 샌드위치는 플레인의 치킨샌드위치가 마음에 든다. 소스도 맛있고 재료도 신선하다. 예전에는 맛있는 빵이 많았는데 요새는 찾기 힘들어서 슬프다. 나이를 먹을수록 웬만한 일에는 감흥이 안 생긴다.

이렇게 소소하게 취미를 갖는 건 내 인생을 조금이라도 풍족하게 해준다. 이런 나만의 취향을 계속 만들어가고 싶다.

다른 사람의 취향을 본다는 건

지금으로부터 20여년전 '쎄씨','슈어'이런 잡지들을 너무나 좋아했었다. 프랑스에 있었을때도 보내달라 할 만큼 즐겨봤었는데 그 이유는 다른 사람들의 옷차림,가방,다이어리등 취향을 볼 수 있었기 때문이다. 지금은 인터넷이 발달해 블로그나 인스타등 다양한 소통 수단들이 있지만 그 당시에는 이런 잡지가 전부였다.

한 사람씩 가방을 열고 그 안에 어떤 물건이 있는지 소개하는 기사는 항상 흥미롭다. 사람들의 취향은 다양했다. 어떤 사람은 가방 안에 책 몇 권이랑 물이랑 볼펜 같은 필기구가 있고 다른 사람은 화장품으로 가득차있다. 립스틱, 눈썹연필, 심지어 파운데이션까지 보였다. 지하철이나 버스에서 화장을 하는걸까? 가방 속 보는것과 더불어 길거리 패션도 흥미로운 기사이다. 어떤 옷을 입었는지 그 브랜드도 나와 있고 간단한 인터뷰도 실려있다.다른 사람들의 옷 차림으로 그 당시 유행을 알수있다. 1998년1999년 경은 초반은 잔스포츠와 닥터마틴등을 신는 캐주얼한 옷차림이 많이 보였다.

지금은 다른 사람들의 취향을 훨씬 쉽게 볼 수 있다. 아마 SNS의 발달이 한몫하리라. 어쩌면 너무 쉽게 볼 수 있어서 문제이다. 인스타그램, 블로그 등 많은 SNS를 통해서 다른 사람들의 취향을 엿보고 때론 구매로 이어지기도 한다.

이렇듯 다른 사람들의 소비패턴 및 취향을 보면 그 사람에 대해 좀 더 알 수 있다. 또 자기와 비슷한 취향의 사람에게 호감을 느낀다. 그래서 동호회 사람들 하고 친하게 지내는 걸까? 남편은 와인 동호회 사람들과 절친한 친구로 친하게 지낸다. 와인하고 음식은 빼놓을 수 없는 거라 같이 와인을 마시고 맛있는 식당들을 찾아다니며 즐거운 시간을 보낸다. 공통으로 좋아하는게 많으니 같이 시간을 보낼 수 있다.

다른 사람이 영화를 좋아하는지 드라마를 좋아하는지 술을 좋아하는지 커피를 좋아하는지. 운동을 좋아하는지 책을 좋아하는지 이런 취향을 알아보면서 다른 사람들과 가까움의 접점을 찾을 수 있다. 물론 이런 취향이 달라도 친하게 지내는 경우도 있다. 나랑 내 친구 A는 여러모로 다르지만 돈독한 사이로 잘 지내고 있다. 오히려 달라서 매력을 느끼게 된 경우이다.

다른 사람의 취향을 본다는 건 예전이나 지금이나 나에게 흥미로운 일이다. 취향이 같은 사람하고 꼭 친구가 되지 않는 것을 보면 친분을 맺는 데에 취향은 그다지 중요한 거 같지 않은 것 같다. 적어도 나의 경우엔 말이다.

나의 장래 희망

요새 평균 수명이 길어지고 오래 살면 150살, 어쩜 그 이상을 살 수 있다고 한다. 70세에 은퇴한다고 쳐도 80세 이상을 산다고 하니 실로 굉장히 오래 살 수 있는 시간이다. 그렇다면 '무엇을 하며 보낼 것인가?'가 정말 중요한 문제이다.
나는 무엇을 하며 앞으로의 인생을 보낼 것인가. 이 문제를 해결하려면 먼저 내가 좋아하는 것을 생각해봐야겠다. 좋아하는 것과 잘하는 것은 다르지만 말이다.

먼저 역사학에 관해 공부를 심도 있게 할 예정이다. 이걸 공부한다고 당장 수입이 보장되지는 않지만, 프랑스 중세사와 러시아 현대사를 공부하고 싶다. 중세사는 대학원 때 공부했었을 정도로 원래 관심이 있었고 현대사는 러시아와 우크라이나의 전쟁부터 관심이 가기 시작했다. AI시대에 웬 역사학인가 생각도 들지만 뭐 어떠랴. 이 나이라도 정말 관심이 있는 분야를 공부해보는 거지.

다음은 빵과 커피 만드는 걸 배워서 서 이를 파는 베이커리 까페를 운영해보고 싶다. 커피와 빵을 그렇게 좋아했으면서도 한 번을 안 만들어 봤다. 커피야 조금은 접근이 쉽다지만 빵은 재료 준비과정부터 만만치 않아 시도할 생각도 안 했다. 사실 드립커피도 내리기 귀찮아하는 성격이지만 죽기 전에 한 번은 베이커리 까페를 운영할 거다. 대도시가 아니라 중소도시에서 골목에 있는 작은 규모로 운영할 계획을 세웠다. 사실 빵을 만드는 일을 내가 잘할 수 있을까 하는 의구심은 들지만, 친절을 바탕으로 최선을 다해 멋지게 창업하고 싶다. 카페 사장님이라는 내 로망이 실현될지 나도 궁금하다.

이런 삶을 위해서는 건강관리도 잘해두어야 할 것이다. 매주 일정 시간 걷고 고정적으로 하는 운동을 만들고 건강한 멘탈도 유지해야겠다. 무엇보다 건강이 밑받침 돼야 할 테니 말이다.

소심한 ISFP 엄마가 대치동에서 세 아이 키우기
서유리

발행일 2024년 4월 7일
글·구성 서유리
편집·디자인 임효경

펴낸 곳 전환
펴낸이 임효경

등록일자 2024년 4월 9일
등록번호 제 2022-000103호

전자우편 rjqnrdl7519@naver.com